말을 넘어 마음이 닿습니다
아름다운 낭독이야기

_____드림

 프롤로그

느닷없이 찾아온 코로나와 함께 낭독도 그렇게 찾아왔다.
입으로 소리를 내고 그 소리를 다른 사람과 나누고 서로 마음을
토닥일 수 있는 낭독 그리고 윤독
일상에 늘 함께 있었음에도 공기에 소중함을 모르듯 목소리로 소리 냄
이 나의 자존감까지 높여주는 계기가 되었다. 보이지 않았던 것이 보
이고부터 두려움이었던 시절을 지나 도전과 실패 창고를 과감하게 쌓
아가는 사람으로 변했다.

나를 사랑하지 않는 날들은 쓱싹 지우고 "목소리가 예쁜 사람"이라는
말과 박진영이 오디션에서 이야기한 "공기 반 소리 반" 이라서 듣는
사람이 좋은 거라는 코멘트를 전문가로부터 받았다.

나는 그냥 좋아서 그저 나를 듣는 시간이었다.
힐링 포인트라 아침마다 했던 나의 루틴을 이론적으로 그 방법을 연구
해 보고자 한다. 글자가 리듬을 타고 책 속 장면이 연상이 되면서 상상
의 세계로 가는 낭독의 세계로 함께 갈 준비를 해보자. 느긋하게 느리
게 가는 낭독 독서로 천천히 가본다.

24년 2월
마음토닥

Contents

Chapter 1. 낭독의 기초

Part 1. 낭독이란 무엇인가?

낭독의 정의

낭독은 글을 읽어서 소리 내는 것을 말한다. 정보를 전달하거나, 감정을 공유하거나, 또는 언어의 미적 특성을 즐기는 데 사용될 수 있다. 낭독을 하면 다른 사람과 연결되고 다른 삶을 경험하고 다른 세상을 상상하고 그것으로 세상을 바라보는 눈이 확장된다. 시야가 넓어지고 나와 타인에 대한 이해가 깊어진다. 공감 할 수 있게 된다. 상처를 이해하면 치유가 가능해진다.

낭독은 눈으로 하는 독서보다 그런 것들이 훨씬 많이 일어난다. 화자가 전하고자 하는 그 욕구를 읽어내 주는 것, 그 문장이 전하려는 목적을 알아채는 것, 그래서 단순한 음성화가 아닌 그 목표를 이뤄내 주는 것, 그것이 낭독이다.

말은 그 사람과 닮아 있다. 삶의 무게와 함께 말이다. 그래서 소리를 내보고 내가 내는 소리를 먼저 들어보고 느껴본다.

독서는 일반적으로 개인이 조용히 텍스트를 읽는 것을 말하며, 낭독은 텍스트를 높은 목소리로 읽는 것이다. 또한, 공연에서의 낭독은 시나 플레이를 읽어내는 것으로, 이는 종종 드라마틱한 효과를 위해 감정이나 제스처를 추가로 사용한다.

낭독의 역사

낭독의 역사를 살펴보면, 인류의 문명 발전과 맞물려 있다. 구전 전통의 일부로서, 스토리텔링은 고대 사회에서 중요한 역할을 했다. 마치 우리나라 전래동화와 할머니의 옛이야기처럼 말이다. 글의 발명 이후, 낭독은 교육과 종교, 공연예술의 중심적인 요소로 자리매김하게 되었다.

낭독의 종류와 특징

1. **정보 전달형 낭독:** 글 내용을 정확하고 명료하게 전달하는 것에 초점을 맞춘다. 주로 뉴스나 강의 등에서 사용되며, 객관적 정보를 효과적으로 전달하는 데 유용하다. 이런 유형의 낭독에서는 명확한 발음이 요구된다.

2. **해석형 낭독:** 작품의 의미를 해석하고 그 해석을 청자에게 전달하는 것이다. 주로 시나 소설, 에세이 등의 문학 작품에서 사용된다. 작품의 감정과 분위기를 이해하고 그것을 표현해야 한다.

3. **연기형 낭독:** 이 유형의 낭독은 글을 연기하는 것이다. 주로 라디오 드라마나 오디오 북 등에서 사용되며, 캐릭터의 감정과 개성을 표현하는 데 유용하다. 감정의 표현과 캐릭터의 목소리를 구분하는 능력이 중요하다

각 낭독 유형은 그 자체의 특징을 가지고 있지만, 공통적으로 모든 낭독에서는 명확한 발음, 적절한 강세, 그리고 청자의 이해도에 따른 적절한 속도 조절이 중요하고 그 안으로 들어가 말하듯 자연스럽게 낭독하도록 해야 한다.

낭독의 효과와 장점

첫째, 낭독은 언어 습득에 도움이 된다. 언어의 발음, 강세, 어조 등을 배우는 데 특히 유용하다.

둘째, 낭독은 이해력을 향상시킨다. 텍스트를 읽으면서 동시에 듣는 것은 정보를 이해하고 기억하는 데 도움이 된다.

셋째, 낭독은 기억력을 향상시킨다. 소리 내어 읽는 것은 텍스트를 더 잘 기억하는 데 도움이 될 수 있다.

Part 2. 낭독의 준비

세상을 들려준다는 것

웃음을 잃고 살아가는 우리네 삶에 늘 뾰족하게만 살아간다면 얼마나 숨이 막힐까? 말은 그 사람과 닮아 있다. 삶의 무게와 함께 말이다. 그래서 소리를 내보고 내가 내는 소리를 내가 먼저 들어보고 느껴본다. 자자 연습을 해보자.

배를 쏙 집어넣고 입꼬리를 살며시 올리며 "안녕하세요!" 다음은 광대를 마음껏 끌어올려보자 눈꼬리가 같이 올라가는 것이 느껴지는가? 눈 끝을 붙인다. 거기다 웃는 연습까지 함께 할 수 있다. 이것으로도 충분히 보톡스 맞은 효과가 있다고 하니 더 열심을 내어야겠다. 음색이 밝아지는 것은 덤이다.

EBS 화면해설

시각장애인 아이들에게 교육 방송에도 화면해설이 들어간다. EBS 교육방송에도 과목별로 시각장애인을 위한 화면해설이 포함된다. 내게 주어진 과목은 초등학교 5학년 1학기 과학이었다. 현장에서 근무하고 계시는 특수교사 선생님께서 대본을 주시면 화면해설을 하는 작업이다. 제목은 생동감 있게 살리고 소리를 시원하게 앞으로 포물선을 그리듯 내 뱉는다. 친절함을 잃어선 안 된다. 강좌명은 만점왕 5-1학기

30분으로 총 900분으로 구성되어 있다. 각자 틈틈이 이루어지는 일이라 팀을 이루어 진행된다. 대본 쓰는 교사, 감수하시는 분, 편집감독, 성우로 이루어진다. 녹음 진행 과정은 웹 하드에 올라온 원고를 확인하고 원고가 나오면 2~3일 내에 녹음을 한다. 녹음 후 mp3파일을 웹 하드에 올린다. 감수과정에서 수정할 내용이 나오면 재녹음해서 다시 올린다. 주어진 날짜에 집중적으로 진행된다. 이 과정 준비를 위해 가성비 좋은 마이크 백색소음을 잡기 위한 usb형 콘텐츠 마이크 사용과 녹음앱, 소리를 잡아주는 흡입판 등을 사용하며 녹음을 하게 된다. 주어진 장소로 이동하여 녹음하는 것은 시간 소요가 많은 반면 이 작업은 집에서 틈틈이 할 수 있어 좋았다. 보통 녹음실은 내 입에서 나는 소리, 책 넘기는 소리까지 들려 아주 긴장을 하게 되는데 그런 면에서는 이 시스템이 좋다. 최대한 소음이 없는 환경을 구성하는 것이 관건이다.

동화구연

 나의 업과 관련해 계속 해왔던 동화구연은 일상이 되어 있다. 낭독도 트렌드가 있어 현재 낭독은 담담하게 담백한 내 목소리로 이야기해주는 것이 흐름이지만 동화구연은 과장이 많이 포함될 수 밖 에 없다. 실제로 아이들도 과장된 제스처를 상당히 즐긴다. 어른들 앞에서는 상당히 쑥스럽지만 말이다. 우리는 누구나 타고난 음색이 있고 두 옥타브 정도의 음폭에서 높낮이를 조절해서 이야기할 수 있다. 동화구연은 **음성보다 중요한 것이 감정표현**이다. 목소리만으로 이야기를 들려주는 것임으로 **고저, 장단. 강약, 완급, 호흡처리, 쉼, 느낌말** 등의 적절한 조화로 이야기 맛을 살린다. 목소리 연기가 포함되는 것이다.

목소리를 들려준다는 것은 '진정성'을 담아 다가간다면 위안을 줄 수 있는 목소리로 세상을 들려줄 수 있을 것이다.

낭독 목표 설정 텍스트 선택 및 분석

텍스트 분석은 텍스트의 주제, 구조, 톤 등을 이해하는 것을 포함한다. 이해를 돕기 위해, 텍스트를 여러 번 읽고, 중요한 부분을 표시하고, 어려운 단어나 문장을 찾아서 그 의미를 이해하는 것이 필요하다. 또한, 텍스트에 등장하는 캐릭터의 감정과 동기 등을 분석하여 그 안에서 눈으로 그려지듯 상상의 나래를 편다.

낭독 연습 방법

1. 발음과 표현: 낭독에서 가장 중요한 요소 중 하나는 정확한 발음이다. 단어의 의미를 올바르게 전달하기 위해서는 각 자음과 모음의 발음이 중요하고, 표현력은 낭독의 감정과 분위기를 전달하는 데 중요한 역할을 한다. 이를 위해 독자는 문장에서 강조해야 할 단어를 파악하고, 그 단어를 강조하는 방법을 연습한다.

2. 분명한 발화: 낭독 시 명확하게 발화하는 것은 청자에게 메시지를 전달하는 데 중요하다. 청자가 독자의 말을 이해하기 쉽게 해주며, 독자

가 말하려는 바를 더욱 분명하게 전달할 수 있게 한다.

3. 적절한 강세와 리듬: 강세는 단어나 문장에서 특정 부분에 더 큰 힘을 주는 것을 의미하는 것으로 손을 사용하여 박자를 맞추면 도움이 된다. 리듬은 말의 속도나 템포를 조절하여 말하는 패턴을 생성하는 것을 말한다. 이 두 가지 요소는 함께 작용하여 낭독의 흐름을 만들고, 청자에게 더 깊은 이해를 제공하고 말하듯 낭독할 수 있다.

4. 감정과 분위기 표현: 낭독에서는 텍스트에 적합한 감정과 분위기를 표현하는 것이 중요하다. 이를 위해 독자는 텍스트의 내용을 이해하고, 그에 적합한 감정을 표현해야 한다. 이는 청자가 텍스트의 내용을 더 잘 이해하게 돕고, 텍스트에 더 깊이 있는 경험을 제공한다.

[단어의 감정 입혀보기]

다섯가지 단어- 나무, 구름, 바람, 벚꽃, 하늘, 사랑
-슬픈 느낌으로 읽어 보기
-밝은 느낌으로 읽어보기
-감정을 빼고 건조하게 읽어보기
-빠르게, 느리게 읽어보기
-속삭이듯 읽어보기
-웃는 표정으로 읽어보기

Chapter 2. 낭독의 기법

Part 3. 발음과 표현

정확한 발음과 분명한 발화

발음의 중요성: 정확한 발음은 낭독의 기본이며, 발음의 정확도가 높을수록 청자의 이해도가 높아진다.

발음과 발화의 차이: 발음은 개별 음소의 정확한 생성에 초점을 맞추는 반면, 발화는 문장, 구절을 말할 때의 명료성과 전달력에 중점을 둔다.

적절한 강세와 리듬

강세의 역할: 강세는 문장 내에서 특정 단어나 구절에 무게를 싣는 방법으로, 의미 전달에 중요한 역할을 한다.

리듬의 중요성: 리듬은 낭독의 흐름을 조절하며, 청자의 이해와 감정 이입을 돕는다. 리듬과 강세를 적절히 사용하면 텍스트의 의미를 더욱 풍부하게 전달할 수 있다.

감정과 분위기 표현

감정 표현의 중요성: 낭독 시 감정을 표현하는 것은 텍스트에 생명을 불어넣는 과정으로 감정을 통해 청자와의 공감대를 형성할 수 있다.

분위기 조성: 낭독을 통해 텍스트의 분위기를 조성하고, 청자가 텍스트의 세계에 더 깊이 몰입하도록 돕는다.

Part 4. 호흡과 목소리 관리

낭독을 위한 올바른 호흡법과 목소리 사용법

1. 호흡법:

낭독을 할 때 가장 중요한 것은 깊고 안정적인 호흡이다. 이는 목소리를 통제하고 힘을 유지하는 데 도움이 된다.

호흡은 복식 호흡이라고도 하는데, 여기서는 복부를 넓히고 수축시켜 호흡하는 방법을 사용한다. 깊게 숨을 들이마신 후, 천천히 숨을 내뿜으며 말을 한다. 풍선의 바람을 넣고 뺀다고 생각하면 쉽다. 이렇게 하면 긴 문장이나 어려운 단어를 말하더라도 숨이 부족해지지 않는다

2. 목소리 사용법:

목소리는 낭독의 중요한 부분이다. 감정을 전달하고, 이야기를 살리기 위해 다양한 톤과 피치를 사용해야 한다. 웃음, 슬픔, 분노 등 다양한 감정을 표현하면서 낭독을 하는 것이 중요하고, 빠르게 말하기보다는 천천히, 명확하게 발음하는 것이 중요하다.

또한, 목소리를 잘 관리하는 것도 중요하다. 충분한 수분 섭취, 적당한 휴식, 그리고 목을 따뜻하게 유지하는 것이 중요하다. 직접 낭독을 할 때는 커피와 목캔디 등은 오히려 목을 더 건조하게 하므로 물을 조금씩 자주 마시는 것이 더 도움이 된다.

이 외에도, 낭독을 위한 연습은 필수이다. 가장 좋은 방법은 다양한 장르의 글을 읽어보는 것이다. 이를 통해 다양한 언어 패턴과 문장 구조에 익숙해질 수 있다.

책속으로 들어가 책을 낭독하기 시작하면 책안에 장면들이 너울너울 연상이 되면서 말의 리듬을 갖게 된다. 뭐든 연습이다. 그 경험은 즐기고 매일 연습을 하는 사람에게 느껴지는 요술 방망이 같은 것이다.

Chapter 3. 낭독의 활용

Part 5. 낭독 교육

낭독 교육의 필요성

낭독은 언어 학습의 핵심 요소로, 학습자가 글을 이해하고, 표현력을 향상시키며, 말하기 능력을 증진시키는데 도움이 된다. 또한, 낭독을 통해 학습자는 언어의 뉘앙스와 감정 표현을 체험하며, 음성과 억양에 대한 이해를 높일 수 있다.

낭독 교육 프로그램 및 방법

낭독 교육 프로그램은 다양한 수준의 학습자를 위해 설계될 수 있다. 이는 낭독 기술의 기본적인 요소를 가르치는 것에서부터, 글의 이해를 깊게 하는 것, 그리고 고급 낭독 기법을 가르치는 것까지 다양하다.

낭독 교육 방법
★ 읽기 전에 글의 내용을 미리 이해하도록 하는 예습한다.
★ 낭독 시 억양, 강세, 표현력 등을 강조하는 연습 한다.

▶ **다른 사람의 낭독을 듣고 모방을 해본다.**
▶ **글을 여러 번 낭독하여 말공부 생활자가 된다.**

낭독의 효과

낭독은 언어 학습에 여러 가지 긍정적인 효과를 가져다준다. 이는 학습자의 언어 이해력을 향상시키고, 말하기 실력을 높이며, 표현력을 증진시키는 데 도움이 된다. 또한, 낭독은 학습자가 글의 내용을 더 잘 이해하고 기억하는 데도 도움이 된다.

★STUDY MEMO★

Part 6. 낭독 활동

봉사활동 및 사회공헌

1. 마음으로 듣는 소리 캠페인 (캠코) :

이 캠페인은 시각장애인이나 독서가 어려운 사람들을 위해 읽어주는 봉사활동이다. 여러 분야의 도서를 읽어 녹음하고, 이를 공유함으로써 정보 접근성을 높이는 데 기여한다. 사전에 성우분이 강의를 통해 낭독 지도를 해주신다. 한권의 책을 4명정도 페이지를 나누어 낭독하고 낭독자는 순수하게 낭독만 하면 편집까지 다 해주신다. 내가 시간조절을 하여 예약을 한 후 지정된 장소로 가서 녹음을 하면 된다.

캠코 오디오북

[QR설명]

2014년부터 시작한 캠코의 '시각장애인을 위한 마음으로 듣는소리 시즌9'국민참여자를 모집한다.

신청기간에 접수를 통해 녹음파일을 보내신 후 별도의 선정과정을 거치게 되며 선별 후엔 캠코에서 준비한 낭독특강에 필수 참여해야 하는 의무가 있다.

[문의] 1588-3570 / csr@kamco.or.kr 이다. 공고를 잘 확인 하여 낭독 봉사에 관심이 있으신 분들은 지원하면 된다.

2. 시각장애인을 위한 목소리 봉사단 (지니 서포터즈) :

이 봉사단은 시각장애인들에게 한사람의 봉사자가 책 한권을 다 스스로 녹음하는 시스템이다. 하상 장애인 복지관 녹음실로 온 소리 카페에 시간 예약을 해서 약 3달 안에 녹음하고 수정일지까지 작성하면 된다. 처음 보는 기계 사용으로 많이 당황을 했지만 그곳 직원 분들에 도움으로 익숙해지고 나니 낭독 안으로 들어가 희노 애락을 경험하며 즐겁게 낭독하고 있다. 성우와 아나운서 지망생이 많았는데 교과서 적으로 배워 역시 낭독은 감정과 연륜도 함께 가는 것도 있으니 위안이 되는 부분이다. 여러 경험이 많은 애니매이션 감독님이 소그룹으로 개인 코칭까지 해주시니 아주 좋은 경험이다.

<목소리 봉사단 '지니 서포터즈 4기' 모집 포스터>

이 외에도, 낭독 봉사활동은 어린이 도서관, 노인 복지시설, 지역 사회 센터 등에서도 이루어지고 있는데 직접 가서 녹음해야 하는 부분이라 시간 활용이 어느 정도 가능 해야 하고, 자신의 목소리를 활용하여 다른 사람들에게 도움을 줄 수 있는 봉사활동이다.

3. 낭독 관련 커뮤니티(히어스피치) :

낭독 관련 커뮤니티(히어스피치)에 속해 있다.

'말공부 생활자'는 목소리 훈련을 받은 '히어 스피치'에서 칭하는 호칭이다. '목소리로 세상을 밝히는 것을 생활하는 사람이라는 뜻'이다.

목소리 훈련을 통해 사회공헌 활동가가 되어 가고 있다. 첫 시작은 '칭찬은 고래도 춤추게 한다' 고 격려와 칭찬으로 시작되었다. 호기심 천국과 배움의 열정이 넘치는 그 때 '낭독'이란 두 단어만 보이면 무조건 듣고 알아갔다. 봉사 공고가 뜨면 무조건 참여 의사를 밝혀 나갔고 그러다 보니 루틴이 되어 '말공부 생활자'가 된 것이다.

말은 대상이 없이는 존재할 수 없다. 또한 말은 누구에게나 주어진 날마다 사용한다는 평범함 속에 그 놀라는 가치를 우리는 공기의 소중함을 모르듯 종종 잊고 지낸다. 잃고 나서야 깨닫게 되는 어리석음을 가지고 있어서겠지만 말이다. 뇌 과학자들이 밝힌 뇌는 현실과 가상을 구분하지 못하므로 실제 책 속 주인공이 되어 상상하며 주인공이 되어 공감하는 것으로 충분히 치유가 될 수 있다.

호흡 방법과 연습에서 오는 설득력과 선명한 말을 경험 할 수 있다.

낭독 독서는 단순한 책을 읽는 행위를 넘어 자신의 목소리를 내고 더 나아가 그 목소리를 사랑하는 과정이다.

우리는 혹시 우리의 목소리를 잊고 지내고 있지는 않은가?

단순히 복식호흡을 하고 혀로 내 이를 쓸고 포물선을 그리듯 소리를 모으는 것에서 그치는 것이 아닌 호흡을 통하여 내 감정을 인식하는 그래서 내 내면아이를 잘 데리고 낭독하는 것이다. 그 과정에서 스스로에게 치유가 되는 과정까지 도달할 수 있게 된다.

오늘도 선명한 말을 통해 처음 입을 열어 한 문장을 읽었을 때에 느낌을 기억하자. 그 느낌은 발음을 정확히 하고 톤과 감정 전달은 물론 무엇보다 포즈(쉼)를 주며 적절한 속도로 읽어야 한다.

4. 시각 장애인 봉사의 관한 마음가짐

시각 장애인 방송 '큐 뉴스천' 이라는 방송에 한 코너 "생각하며 말합시다~큐 말말말 코너" 는 말공부를 한 사람들이 스토리 텔러가 된다. 자신의 에피소드와 책의 좋은 글귀 그리고 좋은 노래를 함께 소개하는 코너이다. 거기서 뵙게 된 이사님은 태어나면서부터 시각장애인으로 태어나셨는데 딸 많은 집 전라도 어느 도시에서 그렇게 누나들의 친절함으로 청각적 자극을 충분히 받고 자랄 수 있음을 감사하시며 에피소드를 들려주시는데 그 시절 장애인이라는 이유로 집에서 나오지 못하게 하는 경우까지 있었다고 한다. 그런 상황에서 본인은 참 행복한 사람이라고 회상하시던 모습이 생생하다. 그런 성장 배경 덕에 귀의 감각이 아주 발달하셔서 생생히 그려지고 목소리로 그 사람의 표정, 인상, 기분상태, 심지어 건강 상태까지 알수 있다고 하니 어찌 목소리 관리를 안하고 목소리 기부를 할 수 있겠는가.

시각 장애인들에게 좋은 목소리를 들을 수 있는 권리를 보장해 드리자.

오늘도 선명한 말을 통해 처음 입을 열어 한 문장을 읽었을 때에 느낌을 기억하자. 그 느낌은 발음을 정확히 하고 톤과 감정 전달은 물론 무엇보다 포즈(쉼)를 주며 적절한 속도로 읽어야 한다. 긴 글을 읽을 때 입을 크게 벌리고 (치아가 보일정도) 목에 무리가 가지 않게 복식호흡을 하면서 읽는 연습을 지속적으로 한다.

언어치료 방식도 긴 지문을 보고 크게 읽게 하는 부분이 있어 낭독과 닮아있다. 책의 세상과 듣는 사람을 연결해주는 다리역할을 한다. 전래동화 명작동화에서 지문 찾기를 찾고 연극 지문을 보고 주인공이 되어보자

낭독엔 기적이 있다.

말선생님의 아버지는 지난 여름 미국에 있는 가족들을 보러 가셨다가 크게 다치셔서 한국으로 돌아와 치료가 시작되었다. 감사일기와 낭독의 힘으로 이어가셨다. 그리고 또 다른 낭독의 기적에 관한 책, 김소영

작가의 "요즘 저는 아버지께 책을 읽어 드립니다." 를 낭독독서에서도 읽어 나가고 있다. 비블리오 테라피와 연결되었다. 낭독을 통해 경험한 치유로 이 또한 다른 사람과 나누고 싶다고 작가는 말하고 있다.

 낭독은 읽는 방법이 아니라 소통하고 교감하는 '말'의 주고받음에 있다는 것을 알아간다.

5. 나의 루틴 10분 낭독 목소리 사랑하는 시간

 거울 신경효과: 이탈리아 신경 생리학자 리촐라티가 1990년대에 원숭이의 이마엽에서 발견되어 타인의 행동을 보고 있기만 해도 자신이 그 행동을 하는 것처럼 뇌의 신경 세포가 작동한다. 뇌는 가상과 현실을 구분하지 못한다. 그래서 상상으로 움직이면서 낭독해야한다. 이 느낌을 그대로 들려주자.

 조음 기관 스트레칭:

양 볼에 바람 넣고 빼기-풍선 불기
혀 넣고 빼기
혀를 내민 상태에서 좌우로 빠르게 움직이기
치아 쓸어주기
똑딱똑딱 소리내기

Chapter . 낭독 활용

Part 5. 낭독 교육

낭독 교육의 필요성

낭독은 언어 학습의 핵심 요소로, 학습자가 글을 이해하고, 표현력을 향상시키며, 말하기 능력을 증진시키는데 도움이 된다. 또한, 낭독을 통해 학습자는 언어의 뉘앙스와 감정 표현을 체험하며, 음성과 억양에 대한 이해를 높일 수 있다.

낭독 교육 프로그램 및 방법

낭독 교육 프로그램은 다양한 수준의 학습자를 위해 설계될 수 있다. 이는 낭독 기술의 기본적인 요소를 가르치는 것에서부터, 글의 이해를 깊게 하는 것, 그리고 고급 낭독 기법을 가르치는 것까지 다양하다.

낭독 교육 방법

★ 읽기 전에 글의 내용을 미리 이해하도록 하는 예습한다.

★ 낭독 시 억양, 강세, 표현력 등을 강조하는 연습 한다.

▶ 다른 사람의 낭독을 듣고 모방을 해본다.

▶ 글을 여러 번 낭독하여 말공부 생활자가 된다.

낭독의 효과

낭독은 언어 학습에 여러 가지 긍정적인 효과를 가져다준다. 이는 학습자의 언어 이해력을 향상시키고, 말하기 실력을 높이며, 표현력을 증진시키는 데 도움이 된다. 또한, 낭독은 학습자가 글의 내용을 더 잘 이해하고 기억하는 데도 도움이 된다.

★STUDY MEMO★

안녕하세요:

인사 하며 배를 쏙 집어넣고 입 꼬리를 살며시 올리며 "안녕하세요!"
라고 오늘부터 인사까지 잘하는 예의바른 낭독의 길로 진행한다.

광대 끌어 올리기:

다음은 광대를 마음껏 끌어올려보자 눈 꼬리가 같이 올라가는 것이 느
껴지는가? 눈 끝을 붙인다. 거기다 웃는 연습까지 함께 할 수 있다. 이것
으로도 충분히 보톡스 맞은 효과가 있다고 하니 더 열심을 내어야겠다.
음색이 밝아지는 것은 덤이다.

손 사용 리듬감 CHECK:

책을 읽을 때 손을 움직이면서 첫 음절에 강세를 주며 읽어본다.

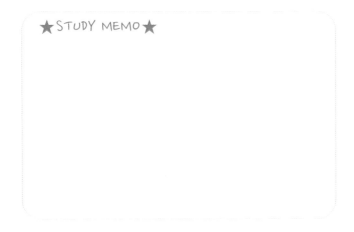

★STUDY MEMO★

▶ 자가 셀프 진단표

1. 내 목소리의 톤이 조절이 안 되어 너무 크거나 작다. ☐

2. 목소리가 가늘고 떨린다. ☐

3. 발음이 정확하지 않고 끝부분이 흐려진다. ☐

4. 목소리 톤이 높거나 너무 낮다. ☐

5. 톤의 변화가 없이 일정하다. ☐

6. 목이 쉽게 잠긴다. ☐

7. 말을 하다가 작아지거나 웅얼거린다. ☐

8. 목소리가 어둡고 생동감이 없다. ☐

9. 혀 짧은 소리가 나거나 툭툭 내뱉는 말투다. ☐

10. 목소리가 기계처럼 딱딱하고 감정없이 말한다. ☐

11. 사투리가 섞여 억양이 어색하다. ☐

★ STUDY MEMO ★

자음 모음 연습:

낭독 일정표 : 일주일 동안 체크 하면서 녹음 해 보기

낭독 연습표 **A WEEKLY CHECK LIST** DATE 2024

	거울 훈련	조음기관 스트레칭	인사연습	손사용 리듬감 체크	자음 모음 소리 내기
MON	00 아나운서 뉴스 시청 000 성우 방송 시청 시청시간 15분	풍선불기 10회 O 혀 운동 10회 O 치아 훑기 20회 O 똑딱 소리내기 10회 O	인사 연습 00회	손 사용 책 리듬감 읽기 <책 제목 ~ Page>	자음모음 연습 00회
TUE					
WED					
THU					
FRI					
SAT					
SUN					

읽은 책 LIST			연습 후 녹음 파일 기록		
•	•	•	☐	☐	☐
•	•	•	☐	☐	☐
•	•	•	☐	☐	☐
•	•	•	☐	☐	☐
•	•	•	☐	☐	☐
•	•	•	☐	☐	☐

소리로 그리는 세상, 낭독 여행

낭독 연습표

A WEEKLY CHECK LIST

DATE 2024 .

	거울 훈련	조음기관 스트레칭	인사연습	손사용 리듬감 체크	자음 모음 소리 내기
MON	00 아나운서 뉴스 시청 000 성우 방송 시청 시청시간 15분	풍선불기 10회 O 혀 운동 10회 O 치아 쓸기 20회 O 똑딱 소리내기 10회 O	인사 연습 00회	손 사용 책 리듬감 읽기 <책 제목 ~ Page>	자음모음 연습 00회
TUE					
WED					
THU					
FRI					
SAT					
SUN					

읽은 책 LIST			연습 후 녹음 파일 기록		
•	•	•	☐	☐	☐
•	•	•	☐	☐	☐
•	•	•	☐	☐	☐
•	•	•	☐	☐	☐
•	•	•	☐	☐	☐
•	•	•	☐	☐	☐

소리로 그리는 세상, 낭독 여행

낭독 : 읽기 연습 문장 수록

 낭독 연습표   읽기 연습   DATE 2024

촉촉한 초코칩 나라의 촉촉한 코코칩을 보고 촉촉한
초코칩이 되고 싶어서 촉촉한 초코칩 나라에 갔는데
촉촉한 초코칩 나라의 문치기가 '넌 촉촉한 초코칩이
아니고 안촉촉한 초코칩이니까 안촉촉한 초코칩
나라에서 살아'라고 해서 안촉촉한 초코칩은
안촉촉한 초코칩 나라로 돌아갔다.

가고 가고 기여 가고 걸어 가고 뛰어 가고
지고 가고 이고 가고 놓고 가고 들고 가고 쥐고 가고
잡고 가고 자꾸 가고

뻗은 가지 굽은 가지 구부러진 가지 가지가지의 가지
올라 가지 가지 찐가지 달린 가지 조롱조롱 맺힌 가지
열린 가지 달린 가지 도롱도롱 달린 가지 젊은 가지
늙은 가지 나물할 가지 냉국 탈 가지 가지각색
가려 놓아도 나 못 먹긴 마찬가지

봄밤꿈 봄저녁꿈 여름낮꿈 여름밤꿈
오동추야 가을밤꿈 동지 섣달 긴긴밤에 님 만난꿈

뜰에 콩깍지 깐 콩깍지인가, 안 깐 콩각지인가,
간장공장 공장장은 강공장장이고, 된장공장 공장장은
공공장장이다.
백양 양화점 옆에 백영 양화점, 백영 양화점 옆에
백양 양화점 앞집 뒷밭은 콩밭이요,
뒷집 옆밭은 팥밭이다.
옆집 팥죽은 붉은 풋 팥죽이고
앞집 팥죽은 파란 풋 팥죽이다.
깔순이가 그린 기린 그림은 상 안탄 기린 그림이다.
저기 있는 저 분이 박법화 박사이고
여기 있는 이 분이 백 법학 박사이다.

대한관광공사 곽진관 관광과장
조달청 청사 창살도 쇠창살, 항만청 청사 창살도
쇠창살 강창성 해운항만청장과 진봉준 강릉전매지청장
저 말 맨 말뚝 말 만한 말뚝인가 말못 만한 말뚝인가
안병휘 대통령 특별보좌관
사다트 이집트 대통령과 아사드 시리아 대통령

낭독 : 읽기 연습 동시 수록

 낭독 연습표　　　　　동시 연습　　　　　DATE 2024

● 아래 두 편의 동시는 낭독 훈련을 하는 학생들을 위해 **시인 유효경 작가님 작품이** 재능기부 되었으므로 낭독 후 동시 연습하시길 바랍니다

달빛목욕

유효경

야틈한 장독대에
달빛 한 조각이

슬금슬금 달아나는
항아리들 붙잡아

묵은 때 싹싹 씻겨내고
구석구석
잘도 닦는다

돋을볕

유효경

누가
눅눅한 햇살을
소나무 손끝위에
널어 놓았지?

너지?

시치미 떼다 걸린 하늘
파아란 너털웃음
널어놓았다

돋을볕: 아침에 해가
솟아오를 때의 햇볕

방귀 장수

옛날 어느 마을에 욕심 많은 형과 마음 착한 동생이 살고 있었어요.부모님이 재산을 많이 물려주셨지만 욕심쟁이 형은 동생에게는 한 푼도 나누어 주지를 않았지요.

하는 수 없이 동생은 산에서 나무를 해서 먹고 살았어요..어느 날 동생이 나무를 하고 있을 때였어요.

"어흥"

갑자기 호랑이가 나타나서는 동생을 잡아먹으려고 달려드는 게 아니겠어요.

"사람 살려~."

너무 놀라 정신없이 도망가고 있는데 저 앞에 커다란 웅덩이가 보이는 거예요.

"옳지 그래, 저 웅덩이에 들어가 숨어야겠다."

한참 후, 동생이 정신을 차리고 보니 그곳은 꿀이 잔뜩 들어있는 꿀웅덩이였지 뭐예요.

"배가 고팠는데 마침 잘됐다. 꿀이나 잔뜩 먹고 가야겠다."

동생은 꿀을 벌컥벌컥 배가 부르도록 먹었지요.

"호랑이가 아직도 있을까? 휴~ 다행이다. 가고 없잖아. 그럼, 그만 나가 볼까." 동생이 부른 배를 안고 걸어가고 있는데, 꿀을 어찌나 많이 먹었던지 그만 '뽀옹' 방귀가 나오는 거였어요.

"아이고~ 내 방귀.. 어? 근데 방귀 냄새가 향긋한 걸. 그렇지. 마을로 내려가서 방귀 장사를 하면 되겠다."

동생은 당장 마을로 내려갔지요.

"방귀사세요. 방귀~ 달콤하고 향긋한 방귀입니다. 방귀사세요."

그러자 마을 사람들이 몰려들었어요.

"아유~ 무슨 방귀가 달콤하겠어?"

"아닙니다. 정말 제 방귀는 달콤하다니까요. 한 번 맡아보시겠습니까?"

'뽀옹'

"아~ 정말 달콤하고 향긋한걸, 여보슈, 내 돈을 더 낼테니 방귀 냄새 한 번 더 맡아봅시다."

"나두요. 나두."

온 마을 사람들이 서로 돈을 내고 방귀 냄새를 맡겠다며 몰려들었어요.

덕분에 동생은 부자가 되었지 뭐예요.

동생이 부자가 되었다는 소리를 들은 형은 당장 달려와 호통을 쳤어요.

"예끼, 이놈아, 네가 어쩌다 부자가 되었느냐, 도적질을 한 게 틀림없으렷다."

"아이고, 아닙니다. 형님, 제가 왜 도적질을.. 사실은요. 이러쿵저러쿵.. 그래서 제가 방귀 장사로 돈을 번 거라고요."

"그게 정말이냐? 오냐, 알았다!"

욕심쟁이 형은 동생이 얘기한 산으로 올라가더니 나무 베는 시늉을 하기 시작했어요.

'콩콩'

그러자 정말 동생이 얘기한 것처럼 호랑이가 나타나는 게 아니겠어요?

"어흥"

"아이고, 바로 그 호랑이로군. 이제 웅덩이만 나오면 되는데, 아이고, 바로 저기 웅덩이가 있네."

"풍덩"

욕심쟁이 형은 동생보다 부자가 될 욕심에 웅덩이 안에 있는 걸 배가 터져라 먹어 댔어요.

"이제 방귀 장사를 하러 가야겠다.

"배가 잔뜩 불러서 밖으로 나온 형은 마을로 내려갔지요.

"방귀 사세요. 방귀, 달콤한 방귀입니다."

그러자 지난번에 방귀 냄새를 맡았던 마을 사람들이 또 몰려들었어요.

"자, 방귀 나갑니다. 뿌우웅"

"우웩 우웩"

형이 뀐 방귀 냄새는 아주 지독하고 구렸어요.

사실 그 웅덩이는 꿀 웅덩이가 아니라 똥 웅덩이였거든요.

형의 지독한 방귀 냄새는 온마을로 펴져 갔어요.

화가 난 마을 사람들은 몽둥이로 형을 때리기 시작했지요.

"아이쿠 아야, 아이쿠 아야, 아이고~"

형이 매를 맞고 있다는 소릴 들은 동생은 당장 달려왔어요.

"아니, 형님 이게 무슨 일입니까?"

"아이고, 내가 너무 욕심을 부렸나 보다. 아이고~ "

그때부터 욕심쟁이 형은 욕심을 버리고 마음 착한 동생과 사이좋게 살았답니다.

아기 다람쥐와 너구리

하늘이 파랗게 물든 어느 가을날, 아기 다람쥐 다람이가 숲속에서 놀고 있었어요.

나무에서 쭈욱 미끄럼도 타고, 윙~윙 그네도 타며 놀았지요.

한참을 놀고 있는데 다람이를 부르는 소리가 들려왔어요.

"다람아, 다람아, 이제 그만 놀고 집으로 들어오렴. 혼자 놀면 위험해."

"네, 엄마. 금방갈게요."

다람이가 쪼르르 달려가는데, 밤나무에 달려 있던 밤이 툭! 떼구르르 떨어지는게 아니겠어요.

"와아! 밤이잖아. 정말 크다! 집에 가서 나눠 먹어야지."

다람이는 신이나서 이리저리 뛰어다니며 밤을 줍고 있었어요.

바로 그때, 저쪽에서 너구리가 어슬렁어슬렁 다람이를 향해 걸어오는 거예요.

"흐흐흐, 저기 꼬마 다람쥐가 있군. 얼른 가서 잡아먹어야지."

너구리는 살금살금 다가가서, 밤을 줍고 있는 다람이를 뒤에서 '꽉' 붙잡았어요.

"너, 나한테 잘 걸렸어. 마침 배가 고프던 참인데, 널 잡아먹어야겠어."

"너구리 아저씨! 한 번만 살려주세요. 네?"

다람이는 겁이 나서 어쩔 줄을 몰랐어요.

"아니! 이건 또 뭐야? 밤이잖아. 잘 됐군. 이 밤도 내가 다 뺏어 먹어야지."그 말을 들은 다람이는 잠시 생각하고는 말했어요.

"너구리 아저씨! 밤을 불에 구워 먹으면 정말 맛있어요."

"뭐? 불에 구워 먹는다고? 에이, 정말 맛있어?"

"그럼요~, 얼마나 맛있다구요."

"그래? 어떻게 굽는 건데?"

"제가 맛있게 구워 드릴게요."

다람이는 나뭇가지로 불을 피우고, 그 불 위에 넓적한 돌을 얹어놓았어요. 그리고는 돌이 점점 뜨거워지기 시작하자, 밤을 올려놓았죠.

"너구리 아저씨! 조금 있으면 이 밤들이 커지면서 아주 맛있게 익거든요. 그럼 그때 먹으면 돼요."

"이 밤들이 더 커진다고? 그것 참 신기하네. 그럼, 남은 밤도 다 얹어놔봐! 모두 커지게 한 다음에 많이 먹게"

돌이 더 뜨거워지자 돌 위에 있는 밤이 익으면서 점점 커지기 시작했어요.구수한 냄새도 솔솔 풍기는 게 아주 먹음직스러워졌지요.

"음, 냄새 좋다. 냄새 좋아. 우와! 정말로 밤이 커지네."

너구리는 신기해하며 눈을 가까이 대고 그 밤을 자세히 들여다보았어요.바로 그때였어요.불에 익은 밤이 그만, 부풀어 터져버린 거예요.

"앗! 뜨거워, 아이쿠! 내 눈! 내 눈~" 밤껍질이 터지면서 너구리의 눈을 사정없이 치고 말았어요.

"아이고! 아이고 아파! 내 눈! 내 눈~" 너구리는 너무너무 아파서 눈을 감싸고 뒹굴었죠. 다람이는 이때다 생각하고 재빨리 도망을 쳤고, 밤톨에 얻어맞은 너구리는 눈 주위가 까맣게 멍이 들어버렸지요.

그때부터 너구리의 눈 주위는 까맣게 남아있게 되었대요.

내 귀는 짝짝이

 세상에는 통통한 토끼도 있고, 홀쭉한 토끼도 있어요.

키 큰 토끼가 있는가 하면, 키 작은 토끼도 있지요.

똑똑한 토끼가 있으면 멍청한 토끼도 있고, 깔끔한 토끼가 있으면 털털한 토끼도 있죠. 하지만 토끼라면 누구나 길쭉한 귀가 두 개 있지요?

리키도 길쭉한 귀가 두 개 였어요. 원래 토끼의 귀는 양쪽 귀가 모두 쫑긋 서 있잖아요. 그런데 리키의 오른쪽 귀는 축 늘어져 있었어요.

그래서 친구들은 언제나 리키를 놀려댔지요.

"야, 축 늘어진 귀! 어디 한 번 귀를 쫑긋 세워보시지."

"내 귀는 왜 이렇게 생겼지? 나도 친구들처럼 두 귀가 모두 쫑긋 서 있으면, 얼마나 좋을까? 그래 당근으로 귀를 세워보는 거야. 축 늘어진 귀에다 당근을 쏙 끼우면 감쪽같겠지? 히히."

그런데 이게 웬일이에요? 친구들은 리키를 보자마자, 마구 웃어대는 게 아니겠어요.

"리키야, 그 귀를 먹어도 되니?"

"오! 당근맛이 나는 귀가 아주 맛있겠는 걸?" 리키는 귀에다 작은 나뭇가지를 대고 끈으로 친친 동여맸어요.하지만 친구들은 더욱더 웃어댔지요.

가엾은 리키는 빨래집게로 귀를 집어서 낚싯대로 들어 올려 보기도 했고요.귀에다 풍선을 달아보기도 했어요.

그런데 친구들은 여전히 깔깔대며 데굴데굴 굴렀지 뭐예요.

리키는 더 이상 좋은 수가 생각나지 않았어요..

너무 화가 난 리키는 숲속에 들어가 나무들한테 소리쳤지요.

"이 보기 싫은 귀를 당장 없애 버릴 거야 두고봐!

바보 같은 심술꾸러기 녀석들도 다시는 안 볼거야, 절대로!'

리키는 흐느껴 울며 생각했어요..

'그래, 어쩌면 의사 선생님이 고쳐주실지도 몰라.'그러고는 어깨를 축 늘어뜨린 채, 터벅터벅 병원으로 걸어갔지요.

의사 선생님은 리키의 귓속이랑 귓불을 샅샅이 살펴보았어요..

그리고 온갖 이상한 소리도 들려주었지요.

"으음, 네 귀는 멀쩡하단다. 조금 힘이 없긴 하지만, 소리를 듣는 데는 아무 이상이 없어요. 원래 귀들은 모두 다르니까 걱정하지 말고 즐겁게 지내렴."

리키는 돌아오는 길에 의사 선생님의 말을 곰곰이 생각해 보았어요.

'원래 귀들은 모두 다르다고? 그래, 그건 맞는 말인 것 같아.

엄마 귀는 예쁘고, 아빠 귀는 튼튼하지. 할아버지 귀는 날카롭고, 할머니 귀는 보드랍지.'그리고 리키는 생각했지요.

'내 귀는 짝짝이야. 하나는 쫑긋 서 있고, 하나는 축 늘어져 있고 푸하하'

리키는 웃음이 나왔어요.

그때 꼬마 토끼가 반갑게 소리쳤지요.

"야아, 리키가 온다!"그러자 제일 덩치 큰 친구가 말을 걸었어요.

"안녕, 리키! 어서 와. 네가 없어서 얼마나 심심했는지 몰라. 네 귀를 세울 방법은 알아냈어?"

"으응, 아주 좋은 방법이 있어. 내일 모두들 동산으로 와. 당근이랑 끈이랑 가지고 말이야."

이튿날, 리키는 활짝 웃으며 친구들에게 소리쳤지요.

"얘들아, 당근을 귀에 매달아 봐. 한 쪽 귀는 서 있고, 한 쪽 귀는 누웠지?"

친구들이 리키를 따라해 보니까 정말 재미있었어요.

그래서 모두들 소리 내어 웃어댔죠.

배꼽이 빠지도록 까르르까르르, 까르르까르르…….

"정말 재밌다!"

리키는 처음으로 친구들과 똑같아졌답니다.

낭독 일정표 : 일주일 동안 체크 하면서 녹음 해 보기

낭독 연습표   **A WEEKLY CHECK LIST**   DATE 2024

	거울 훈련	조음기관 스트레칭	인사연습	손사용 리듬감 체크	자음 모음 소리 내기
MON					
TUE					
WED					
THU					
FRI					
SAT					
SUN					

연습을 통해 나아진 점	보완되어야 할 점
•	☐
•	☐
•	☐
•	☐
•	☐
•	☐

소리로 그리는 세상, 낭독 여행

낭독 연습표

A WEEKLY CHECK LIST

DATE 2024

	거울 훈련	조음기관 스트레칭	인사연습	손사용 리듬감 체크	자음 모음 소리 내기
MON					
TUE					
WED					
THU					
FRI					
SAT					
SUN					

읽은 책 LIST			연습 후 녹음 파일 기록		
•	•	•	☐	☐	☐
•	•	•	☐	☐	☐
•	•	•	☐	☐	☐
•	•	•	☐	☐	☐
•	•	•	☐	☐	☐
•	•	•	☐	☐	☐

소리로 그리는 세상, 낭독 여행

A WEEKLY CHECK LIST

DATE 2024

	거울 훈련	조음기관 스트레칭	인사연습	손사용 리듬감 체크	자음 모음 소리 내기
MON					
TUE					
WED					
THU					
FRI					
SAT					
SUN					

읽은 책 LIST			연습 후 녹음 파일 기록		
•	•	•	☐	☐	☐
•	•	•	☐	☐	☐
•	•	•	☐	☐	☐
•	•	•	☐	☐	☐
•	•	•	☐	☐	☐
•	•	•	☐	☐	☐

소리로 그리는 세상, 낭독 여행

낭독 연습표

A WEEKLY CHECK LIST

DATE 2024

	거울 훈련	조음기관 스트레칭	인사연습	손사용 리듬감 체크	자음 모음 소리 내기
MON					
TUE					
WED					
THU					
FRI					
SAT					
SUN					

읽은 책 LIST			연습 후 녹음 파일 기록		
•	•	•	☐	☐	☐
•	•	•	☐	☐	☐
•	•	•	☐	☐	☐
•	•	•	☐	☐	☐
•	•	•	☐	☐	☐
•	•	•	☐	☐	☐

소리로 그리는 세상, 낭독 여행

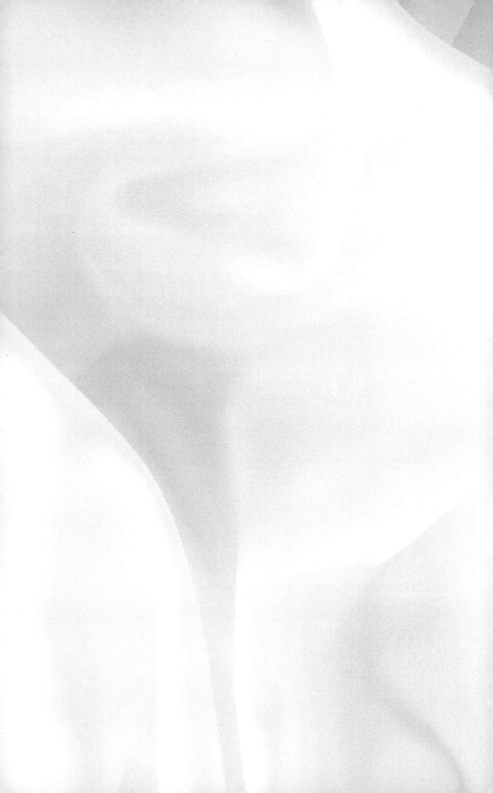

에필로그-무한한 소리의 세계

 시각적으로 자극이 많은 지금, 그런데 아이러니하게도 시력이 가장 약하기도 한 지금, 이따금 그 자극을 닫고 목소리로 소리를 내어 보는 일은 어떨까?

 일상 안에서 온통 소리가 들어온다. 영상을 볼 때 공연장을 갈 때 영화를 볼 때도 목소리가 먼저 내 귀로 들어와 작품의 주인공이 되어 무엇이든 상상할 수 있게 되었다.

 도서관 열람실에서 나만의 공간 안에서 책 속의 글자들을 이어폰을 통해 몰래 만날 때, 산책과 함께 자연과 만날 때 책 속 주인공의 목소리를 듣고 그들과 공감하며 여행하는 취미가 생겼다.

 또 자기 전과 아침에 일어나서 함께하는 연습과 낭독은 라디오, 오디오북, 또는 낭독을 사랑하는 지인들의 목소리는 우리를 편안하게 해준다. 낭독은 우리의 마음을 치유하고 휴식을 제공하고 있다.

 낭독은 책을 읽는 것이 아니라 말하는 것처럼 해야 한다. 낭독에 진심이기 시작하면서 낭독에 관심이 있는 분들에게 어떻게 하면 내 목소리를 사랑하면서 즐거운 낭독을 할 수 있을까 고민을 하게 된다.

 글을 말로 표현한다면 어떻게 할 것인지 생각하고 장면 하나하나를 적

극적으로 머릿속에 그려가면서 천천히 느끼면서 단순히 글을 소리 내어 읽는 행위가 아니라 이해가 이루어지는 과정이다.

낭독 과정을 제대로 거치지 않으면 묵독 단계에서 글을 이해할 때 어려움을 겪을 수 있다.

따라서 낭독을 꾸준히 연습하면서 글 속에서 느껴지는 감정과 맥락을 파악하고, 자연스럽게 묵독으로 넘어갈 수 있도록 노력해야한다.

스스로의 목소리를 인식하고, 진정한 자신을 표현하는 낭독을 매일 조금씩 연습하고 나자 내 목소리를 사랑하게 되었음을 고백한다.

낭독이라는 당신의 거대한 영혼을 깨우는 기적의 독서를 통해 자신감과 치유, 건강과 행복을 얻을 수 있길 진심으로 바란다. 책 속 울림을 목소리로 담는 방법을 오늘도 힘껏 걸으며 이렇게 저렇게 생각해본다,

채근담 필사에서 발견했다.

"고난에도 불구하고 끝까지 붙잡고 가는
그 뜻이 진정한 자기의 소명이다'

소명을 통하여 나누고 베풀며 희노 애락을 함께하다 보면 어느새 한뼘 더 자라 있을 것이다.

낭독 일정표 : 일주일 동안 체크 하면서 녹음 해 보기 <부록>

낭독 연습표　　　　**A WEEKLY CHECK LIST**　　　　DATE 2024

	거울 훈련	조음기관 스트레칭	인사연습	손사용 리듬감 체크	자음 모음 소리 내기
MON					
TUE					
WED					
THU					
FRI					
SAT					
SUN					

연습을 통해 나아진 점	보완되어야 할 점
•	☐
•	☐
•	☐
•	☐
•	☐
•	☐

소리로 그리는 세상, 낭독 여행

낭독 일정표 : 일주일 동안 체크 하면서 녹음 해 보기 <부록>

🎤 낭독 연습표　　**A WEEKLY CHECK LIST**　　DATE 2024 .　.

	거울 훈련	조음기관 스트레칭	인사연습	손사용 리듬감 체크	자음 모음 소리 내기
MON					
TUE					
WED					
THU					
FRI					
SAT					
SUN					

연습을 통해 나아진 점	보완되어야 할 점
·	☐
·	☐
·	☐
·	☐
·	☐
·	☐

소리로 그리는 세상, 낭독 여행

낭독 일정표 : 일주일 동안 체크 하면서 녹음 해 보기 <부록>

낭독 연습표　　　**A WEEKLY CHECK LIST**　　　DATE 2024

	거울 훈련	조음기관 스트레칭	인사연습	손사용 리듬감 체크	자음 모음 소리 내기
MON					
TUE					
WED					
THU					
FRI					
SAT					
SUN					

연습을 통해 나아진 점	보완되어야 할 점
•	☐
•	☐
•	☐
•	☐
•	☐
•	☐

소리로 그리는 세상, 낭독 여행

낭독 일정표 : 일주일 동안 체크 하면서 녹음 해 보기 <부록>

낭독 연습표 **A WEEKLY CHECK LIST** DATE 2024

	거울 훈련	조음기관 스트레칭	인사연습	손사용 리듬감 체크	자음 모음 소리 내기
MON					
TUE					
WED					
THU					
FRI					
SAT					
SUN					

연습을 통해 나아진 점	보완되어야 할 점
•	☐
•	☐
•	☐
•	☐
•	☐
•	☐

소리로 그리는 세상, 낭독 여행

소리로 그리는 세상, 함께하는 낭독여행

발 행 | 2024년 4월 20일
저 자 | 문연경
펴낸이 | 한건희
펴낸곳 | 주식회사 부크크
출판사등록 | 2014.07.15.(제2014-16호)
주 소 | 서울특별시 금천구 가산디지털1로 119 SK트윈타워 A동 305호
전 화 | 1670-8316
이메일 | info@bookk.co.kr

ISBN | 979-11-410-8129-4

www.bookk.co.kr